De tussentijd

Werk van Anna Enquist bij De Arbeiderspers:

Soldatenliederen (1991, gedichten)
Jachtscènes (1992, gedichten)
Een nieuw afscheid (1994, gedichten)
Het meesterstuk (1994, roman)
Klaarlichte dag (1996, gedichten)
Een avond in mei (1996, tekst herdenkingstoespraak 4 mei)
Het geheim (1997, roman)
De kwetsuur (1999, verhalen)
De gedichten 1991-2000 (2000)
De tweede helft (2000, gedichten)
met Ivo Janssen: *Tussen boven- en onderstem* (2001, cd)
idem: *De erfenis van meneer De Leon* (2002, cd)
idem: *Kom dichterbij* (2002, cd)
Hier was vuur (2002, gedichten)
De ijsdragers (2002, boekenweekgeschenk)
De sprong (2003, vijf monologen)
De tussentijd (2004, gedichten)

Anna Enquist

De tussentijd

Gedichten

Uitgeverij De Arbeiderspers
Amsterdam · Antwerpen

Omslagontwerp: Marjo Starink
Omslagfoto: André-Pierre Lamoth

ISBN 90 295 2258 5 / NUR 306
www.boekboek.nl

In memoriam mijn dochter Margit (1974-2001)

Inhoud

1 Verloop van tijd

Een menigte

Verbaasd merkte de moeder
dat zij een menigte werd.

Binnen enkele dagen was het
gebeurd, bleek zij uiteengevallen
in een waaier van vrouwen.

De weerloos-blije liep daar
van haar geheugen te genieten;

de verslagene, die snel op weg
wilde naar welke dood dan ook;

de trieste die er niets van begreep,
die alleen zachte vlindervleugels

tegen de wangen van het kind
zag slaan, onophoudelijk. Rond

het groepje stormde de furie,
pamfletten en woedende brieven

in de handen. Achteraan ging
de wanhoopsmoeder die al maanden
de kapper niet had gezien.

Hoe hen te hoeden, te zorgen dat elk
de voeten in dezelfde richting sleept?

Ons is iets overkomen, kan ze zeggen,
wij zijn de menigte die moeder heet.

En zij die in de verte aan het water
staat, en wenkt, is een van ons.

Afspraak

Volgens afspraak was er een raadsel
om verbijsterd bij stil te staan,
grijpend in haar. Het ging schuil
in het bed, het wijnglas, de laatste
maten van de sonate. Het moest
gevonden, ik was iets zo kwijt.

Mijn voeten ranselen een hartslag
in het landschap. Bomen staan
langs de weg als paukenslagen,
als lijfwachten voor het landhuis.
Alle cadans is: vallen. Wat nou
geen metrum? Geen dood zonder tijd.

Voorover tegen de volmaakte muur,
of achteruit in de suizende leegte.
De trom roffelt dof in de oren;
het gemis is een toestand, er ging
niets verloren. Alles voltrekt zich
volgens afspraak: een raadsel.

Niet

Dat zij bang is als het bliksemt
zeggen wij, geniet van zonlicht,
schuilen moet voor regen maar
zij hoeft niet.

Dat doods eierwekker afging
zeggen wij, dat men een tijd heeft,
zelfs die eik in het weiland, maar
zij heeft niet.

Koket geweld van woorden. Over
zinloosheid is het zwaar zingen. Wij
zullen blijven en zwijgen maar
zij zal niet.

Geschrokken zien wij haar overal maar
vorst vormt een korst over haar graf
en een masker van marmer bedekt
ons beestachtig gezicht.

Omslag

Nu deze eerste dag van een nieuw jaar,
nu zonder haar. Strijklicht grijpt
het bevroren land. Het is niet waar

dat zij daar in de diepte ligt, dat zij
is weggedaan in een besneeuwde stee
van een bij twee. Maar het is waar.

Wij slijpen haar in steen, wij kerven
in het hout haar naam, wij schrijven
tegen beter weten in haar taal; ik

spreek haar stiekem toe. IJdele onzin,
valse vlijt. Een plaats. En het besef dat zij
zich niet meer uitbreidt in mijn tijd.

Zwanger

Een zwart gat zeggen de moeders
van de doden, het kind stierf,
het liet een zwart gat in hen achter.

Waar hebben ze het over, nooit
was mijn harnas van huid zo taai,
een stevig vlies rond de zwellende
massa herinneringen die steeds weer
gedacht moeten worden.

Radeloos lopen ze rond, de moeders.
Ik niet; stil als steen bewaak ik
de felgele glimlach, de blauwe
kus, roze woorden uit haar mond.

De moeders heffen hun armen
als winterbomen, de hemel
zichtbaar door hun gespleten stam.

Wat willen ze toch. Ik plooi me
roerloos om de kostbare
blokkentoren van gedachtenis
– hoe ze sliep in paars ochtendlicht
achter haar haren –; ik wacht
geduldig op de verlossing.

Tweede winter

Gelukkig had zij weer een dak
van ijs boven haar leden. Ik besloot
mijn rug recht te houden, daaraan
te denken zolang de dag duurde.

Ik sprong van de ene onderneming
in de andere. Strijkkwartet, fotoboek,
grafsteen. Er was een afgrond tussen
het vouwen van haar kleren en het bezoek
aan het tuincentrum. Ogen dicht,
het gaat om de rugspieren.

Over de schrijftafel golfde pure
weerzin. Met vlakke hand sloeg ik
rijm en ritme het raam uit. Een lijst
wilde ik maken, zo lang als een lichaam,
een sobere som van ontbreeksel.

Glas tussen mij en de mensen, daartegen
kletsten mijn woorden, ze dropen
als eigeel omlaag. De dagen vulden zich
met dingen, het leek wel vroeger.

Maar het was nu. Ik had een rug recht
te houden, een graf te verzorgen. Het vroor.
De mandarijnen smaakten beter dan ooit
en weldra zouden wij gaan schaatsen.

11 Op reis

Wandeling

Hoog over de klippen stampte zij,
joeg zij op de gedachte aan de dochter,
de geur van de dochter, de dochter.

Wind borstelde het lange gras
tot rimpelend, golvend watervlak.
Lachwekkend. Zon ook nog.

Zij stormde naar de volgende vallei,
naar de nieuwste hoek van de zee.

Onopgemerkt, zwijgend, holde
het kind met haar mee.

Papierland

Krakend neerzitten en kijken
naar wind op een foto. Hoe
de geketende dansers buigen op rij!

Wij waren tien en wilden naar zee.
Melkzuur in de benen, blaasbalg
in de keel. Storm blies tranen

over de wangen, schelpengruis
knapte onder onze banden. Wij
trapten ons achteloos een weg.

Groen, blauw, wit namen we
voor lief; zintuigen werkten
vanzelf, op volle kracht.

Nu de rug buigen over
plat beeld; bezems schuren
grijs vuil uit de hemel.

De vogel met de baard

De hoogste berg beklimmen,
de lammergier zien. Zijn rode oog,
zijn bepoederde veren. Hij loert
naar zijn prooi. De ongeduldige
buizerd vloog weg met longvlies
en luchtpijp; 's nachts stal de vos
de nieren. Nu ligt de gems
in zijn kern gereed: bot.

Rustig stijgen op de bloedhete
zucht uit het dal, geklemd
in de klauw wat doet leven:
scapula, femur. De zon
likt met vuur aan de bergkam.
Loslaten. Tegen de witte rots
klettert skelet; het stuitert,
splijt en geeft prijs zijn merg.

In Rabat

Nee, zegt mijn jonge gids, nooit
is het werk voltooid. De koning
stierf, het geld was op en de moskee
bleef ongekroond.

Onze gezonde voeten slaan de gave
marmervloer. Geen krimp. Achter de muur
begint een oceaan. De onvolgroeide zuilen
reiken naar een dak

dat er niet is. Hoe zij haar eigen dochter
dragen zou. Hoe de seizoenen rimpels
zouden snijden rond haar mond. Boven
de grond.

Hoe zij mij bitter en volstrekt ontbreekt.
Het zonlicht raakt de roze steen, zijn glad
gezicht. De hemel valt ons in de hand.
Onaf. Volmaakt.

Parijse daken

Ik kreeg een hotelkamer met openslaande
deuren. Zesde verdieping. Jij, al anderhalf
jaar dood, zat tegenover mij. Ochtend.

Een zeer lange neger bracht ons ontbijt,
hij glimlachte. Tussen ons in schikte ik
kopjes en messen. Ik schoof een croissant

op je bordje, hier, dat vind je lekker, kletste ik.
Gaan we naar warenhuizen, paleizen
of gewoon zitten bij de vijver? Ik dacht

aan de zon op je schouders, nu, gave huid,
goud, en je haar, ongekamd nog, welke
kleur in dit licht – ik keek op. De lucht

was van lood boven de daken, golfde
grijs de kamer in en vrat broodmand
confitures boter benen je stem en je handen.

Weer niet gelukt. Ik sloot de deuren. Naar
beneden, snel, een dag was begonnen.

Nergens

En maar overal en maar
rusteloos maar zonder slaap
zonder haar overal zoeken

en zwerven om haar niet
te weten overal ook overal
in plaatsen waar zij nooit

maar weten kan je niet
dus niet slapen niet eten
en overal kijken overal

dat had ze nooit zeggen
ze gewild maar wat
weten ze daarvan overal

waar haar schaduw haar
voetstap daar zal ook ik
gaan en in de zon gaan

en in de nacht natuurlijk
alle schepen straten treinen
er is veel te doen overal

ja ik weet ze is weg
maar wellicht wacht ze
toch overal op mij dus

ik zoek en ik kijk en ik
slaap niet maar blijf
buitengewoon waakzaam.

III Berichten

Spel

Zij jaagt op mij, zij stuurt mij
gladde tegels en diep water, groene
vogels zijn parmantig op mijn lever uit.

Ik schuil in gloeiend weiland, ik verberg
mij op de bergrand. Haar ondergronds
gefluit kan ik nu bijna horen, ja,

zij jaagt op mij. Als er een jager is
draagt hij mijn jas. Ik vang haar
geur waarin ik stikken wil. Zolang

ik in de maskerade van de jacht geloof
bestaat zij nog. Als het doek valt
sta ik voor gek met pijl en boog.

Nieuws

Betalen doen wij met nieuw geld,
het is erg zwaar, er staan symbolen
uit Europa op, het telt voor twee.

Als je een sigaret opsteekt word je
gearresteerd. Je lieve huis heb ik
met de vriendinnen leeggeruimd.

Ik draag je groene vest. De goudvissen
ben ik dit jaar vergeten. Honger
onder ijs. Ze leven nog. Wij spelen

jouw muziek, en deze zomer gaan we
op die berg waar jij toen met je knie –
wat ik nu doe? Ik duw tegen de tijd.

Dat is een trein die langzaam in beweging
wil en die mij mee gaat sleuren op termijn.

www.gewicht.com

Hoeveel aandeelhouders dansen
op de punt van een naald? Gewichtloos
web voor wie gelooft. Het schittert
op een scherm. Uit de mobiel kwijlt
een ijle Beethoven. Wat je zegt raast
jaren rond de aarde, een pulserende
stroom noodkreetjes. 'Lekker chatten
met mevrouw Van der Geest in Australië!'

Geen leugen zonder waarheid, zonder
tijd geen verte. Gewicht voelde ik
van strijkstok op snaren; zwaar lag de pen
in mijn hand. Ik had een postbode
om te haten. Over bergen ging ik
op eigen benen. Geen netwerk, echt ijs
onder de voet. Mevrouw Van der Geest sterft
aan de achterkant van de wereld, alleen.

Leidse maaltijd

Voor Hans W.

Toen wij in die omknelling van singels
een plaats vonden, geurvlag en rook
uitzonden, nog vrezend voor stilte
getetter aanhieven, hadden wij gladde
wangen en zorgen als luchtballonnen.

Gulzig vraten we handboeken tractaten
onleesbare collegedictaten. Ons werden
de ogen gewassen. Wij keken en zaten,
oefenden uitstel en twijfel. Achter
gesloten lippen welde ons oordeel.

Dwangbuis en valhoed, een kooi
om te zingen. Wij weg. Veertig jaar
later, boven nieuwe papieren, zien we
gekreukte gezichten en weten ons,
hoe ook geschaad en bedorven, thuis.

Wij hebben hetzelfde gegeten.

Voorjaarsbrief

Voor Gerrit K.

Gerrit ik schrijf je het wordt lente,
er ligt bros ijs op de tafel – gaan we

dit jaar weer van rotsblokken springen,
vrolijke rookvanen wegblazen, verdwenen

dichters bezingen? Nu, het wordt lente,
het schrijnt waar zij weggescheurd werden,

de onzen, we staan nog te trillen; veel
vocht verloren, pijn onder de kleren.

Het verborgene vlijtig meten in regels,
met timmermansoog, daarover spreken.

Jij woont in je tachtigste lente, we zwijgen.
Ik schrijf je. Het laatste adres is bekend,

onze postnummers staan al gekerfd
in de steen. De woorden steeds dunner,

de rook op z'n ijlst, op z'n best.
Ik schrijf je. Daar gaan we heen.

Inversie

Nee dat heeft hij niet
verteld de kunstenmaker
beeldbedenker toen hij

de zilverspiraal in het gras
plaatste. Hoe je kijken moet.
Omhoog natuurlijk, zei ze,

dochter, drie jaar. Gaan we
naar het draadje? Hoofd
in de korte nek, en dan

turen naar een splijtende
hemel. Schateren, wij twee.
Geen benul dat de taal

het zou laten afweten. Nu.
Zij stuurt golven van stikstof
naar boven zodat sleutel-

bloemen blozen in haar klein
revier. Als een kurkentrekker
boort het beeld in aarde;

daar, in de diepte, daar
gaat alles verloren, daar
ga ik het mee doen.

Over visvangst

Herinnering als een zilveren vis
rond je enkels licht op laat zich
zien op het scherpst van de bocht,

loopt zich vast in overspoeld land
waar jij spetterend rent en haar schept
met je mand, je hebt haar, je kiest –

je hebt er niets mee te maken, het is
aan de andere kant van een aarde,
je kan haar niet tillen, je moet.

Vijf vrouwen vangen een maaltijd,
je ziet ze van ver, ziek van pret
in een kring rond die ene, die ene –

haar rug is je ganse verlangen
haar knieholte enige rustplaats
voor je woedende vuist die eindelijk,

eindelijk open valt en verliest.

iv Intussen

In het gras

Een schema van het leven ligt
op het voetbalveld, een tekening
van de wereld, op zondagmiddag.

Hoe wij in wisselende bezetting
elkaar steunen, stuktrappen, vereren,
verlaten en kwijtraken, rennend.

Tussen de krijtlijnen een blauwdruk
van verlangen. Nooit krijgen wat wij
najagen, en als de buit binnenkomt

onthand zijn, leeggevreten door vreugde
van een dag, door elkaar bedolven.
En altijd die man, met die fluit.

Alsof

Wij schrijven zo graag over hersens,
wij dichters. We klemmen het brein
in de handen; woorden druppen op tafel.

Het lukt! Een zoemen start in Wernicke,
Broca. Liquor klotst in de ventrikels,
ionen tollen in de synapsspleten.

Dan een toets van beheerst verdriet:
de glorie vergaat als wij uitdoven.
Tevreden lezen, achterover. Alsof

we het geloven. Wisten we hoe
ons geprezen grijs goed in een oogwenk
met kracht door neus en oor –

we zouden de woorden wegvegen,
voor altijd zwijgen, als we konden.

Over het begraven van dochters

Voor M. en F.

Het moet stralend weer zijn. Hitte
blaast als een mes langs je huid.

Hoog boven de boomkruinen jaagt
de wind woedend op iedere wolk.

Men ademt. Bloed spuit door de vaten.
Iemand moet zingen. Feest.

Daarna gaan wij vastberaden de poort uit,
een wereld in vol krentenbollen, laarzen

en letters. In ons begint een eeuwige
draailier te zoemen: zij zijn er geweest.

Schermbloemig

Feest naast de verlaten bushalte,
in de oksel van de snelweg, aan
de domme slootkant een machtig
bloeien. Fluitekruid droeg zij
naar huis door het witte veld.
Ik dacht: een bruidskleed.

Later maakten de stelen een scherpe
buiging, blad bloosde donkerrood
en liet zich wegspoelen als bloed
op straat. Het zwijgt in het weiland,
een keur aan witte jurken ligt
verstopt in de bittere aarde.

Essentie van het missen

Ik mis de linkshandige, schitterend
spiegelbeeld naast mij aan tafel, ik mis

haar tot brakens toe dagelijks. Het is
de kern van gemis, het missen zelf,

zegt men. Dat zal ik, met gestrekte
hals, fijntjes ontkennen. Dat zal ik

schuimbekkend tegenspreken. De tijd
is een ruimte, je bent altijd bij haar,

zegt men. Ik kijk in de lege spiegel.
Geleerde onzin, schandalige troost.

Ze reed weg met mijn goud, mijn geluk
in haar fietstas, hief haar smalle hand

en verdween tussen de weiden. De kern
van gemis laat mij koud, geen wijsgerige

held gaat mij helpen. Ik mis
het vlees, haar linkshandige lichaam.

Goedemorgen

Zodra het licht wordt ga ik aan het raam
en wrik het open tot een kier; de kamer vreet
ternauwernood de lucht van weer een dag.

Boomkruinen ruisen in de tuin, het zevenblad
verspreidt zich koortsig ondergronds, de naakte
vroegelingen glimmen zonder schaamte aan hun tak.

Het is wat ik bedenk of niet, het is een venster
maar niet heus, het is niet goed of wel. Het stijgt
een toekomst in, de voortgang schampt

langs mijn gezicht. Gierige spieren doen mij
stollen op mijn plaats, ik kijk wel uit, ik hijg
niet meer de dag in, ik ga weg, blijf hier.

Binnen

Straathoek waar zij niet staat,
fietser die haar rug leent, ademloze
stilte van haar telefoon. Zij verschijnt
mij in het missen. Zoeklichten
richt ik op de buitenkant.

Geef op. Laat gaan.

Binnen hangt zij met heel haar gewicht
in mijn voeten, klauwen haar vingers
om mijn slokdarm. Strak
achter mijn wangen spant zij
een breiwerkje van ijzerdraad.

v Muziek, muziek

Mars

Met een zware granaat in de jaszak
gezeglijk over de paden. Op zoek

naar onneembare helling, hinderlaag,
tegenstand. Achter de lamme stilte

een liederlijk lijfstuk, gestopte trompet
en trommels omfloerst. Kruist u

een rouwstoet ziet u een leger, tocht
naar fictieve loketten. Keer om.

Opus 126

Beethoven prijst de klokken van Bonn
om hun denderend zwenken. Hij looft
de storm op de Rijn om het schuim.

Nu neemt hij de wallen van Wenen
in langzame driekwartsmaat. Hoe
mensen gaan: ze zwalken, blijven

staan. Het gras voelt stroef.
In loden rust buigt Beethoven
onder de laatste bagatellen.

Vingers krioelen aan de verste boorden
van het toetsenbord. Niets wil hij nog
vertellen, hij versluit zijn lied,

vrij van vervuiling door de echte klank,
in onze oren. Willekeur. Hij krast
de tekens zonder ze te horen.

Klank

Het kind zat naast mij in een zaal,
tussen ons lag de partituur. Maat-
strepen stonden stijf in stil geweld

van inkt. Dankzij de muren
en het dak werd dat geluid.
Zoals bij ons de huid verdriet

omspant, zei ik, en een voor een
wees ik de instrumenten aan
op het schavot. Zij is er niet.

Als ik mijn ogen sluit ga ik haar
zien. Tussen hoorn, cello en fagot
beweegt zij wiegend voor mij uit.

Winterwerk

De sarabande spelen op de vrieskoude
deel. De uilen hebben het klavier onder-
gescheten. Stom staan de dingen
van de zomer om je heen, strohoed,
trompet. Omhoog die bovenstem, waar
vogels schuilen op de balk, en dan omlaag.

Vertraag het lied, houd in totdat bloed
stolt en adem stokt. Kan zij nu gaan?
Doorspelen. In de bas orgelt een toon
die alle tegenstemmen op zal zuigen.
Hollen of stilstaan – maakt niet uit,
je hamert hoorbaar op het einde aan.

Niet meer dan vilt op staal, lucht
die uittrilt tot stilte. Slechts een dag
in de gestage rij van dagen.

Prijs de hoogte

Natuurlijk spelen de bassen
een treurmars; zelfs hun menuet,
hun gavotte is een treurmars.

Je wordt ziek van de pauken,
alleen al de aanblik van pauken
betekent een rouwstoet.

Je moet de zaal in waar diepte
je neerzuigt, de zoldering je
inkuilt. Kijk naar de vloer.

Een kind klimt de bank op,
verhit, wild van het suizende
licht – trek hem neer.

Knijp je ogen stijf dicht bij de inzet
van de viool. Nu zwijgt het orkest,
nu stijgt een stem boven zwaarte

omhoog. Je wil niet, je weigert –
maar het lied sleurt je mee
in een windhoos van bittere troost.

Fuga

Met geweld geboren, met geweld
gestorven. Wij kunnen geen uitroep
verdragen, geen leven meer velen.

Branding jaagt ons het land in,
storm maakt ons bang. Gejakker
van wolken kunnen we niet aanzien.

Met geweld gestorven. Wij wachten,
gekromd, in een windstil weiland
op het flinterdun begin, een fuga,

enkele lijn, dan twee en we zijn al
verloren. Wat in ons beantwoordt
aan dit lied, wat smacht er in ons

naar klare meisjesklank. Met geweld.
Roept zij ons tussen de regels, gestorven,
verbergt zij bij alt en sopraan haar partij

die klimt en zich klemt aan tijdloze
voorhouding? Zij verdwijnt
in het stilste accoord, onhoorbaar

zingend, met geweld gestorven. Ach
hoe wij op de stemvoering studeren,
ach hoe wij haken naar haar stem.

VI 'Maak haar een plaats'

Aan de slaap

Iets wat ook in mijn slaap nog
'ik' heet zoekt en weet niet wat en
heeft mij de verkeerde schim gebracht.

Met glanzend, gaaf gebit verschijnt
Sparta's rechtsbinnen Piet de Vries.
Hij duwt me zijn sigarenwinkel uit.

'Ga maar, je bent al laat.' Hij fluistert.
Grijze tegels. Zomer. Kinderbenen
in de stille straat. Nu moet ik weg.

Ik moet haar vinden. Op de bodem
van de voren in mijn brein moet
zij in al haar lieve vormen zijn:

ik heb haar in die diepe groeven
opgeborgen, vastgelegd. Zij leeft daar
nog in eiwitketens die ik niet

ontsluiten kan. Er is geen recht.
Wees mij genadig, slaap, en leid
haar aan mij voor vannacht.

Badhuis in Boedapest

Voor Rudi W.

Altijd in schoolslag tussen die oevers
langs huizen terrassen kantoren van ons.

Wie omkijkt gulpt water vals in de oren;
vooruit en verder, langs steiger en pleisterplaats.

Ooit was er een haven voor moeders, daar
meerden we aan tussen marmer en glas.

Dwars op de stroom dreef het lichaam
in zwavel, damp likte de schouders. Wij

bespraken drama's en dochters – misschien
iets te dik, iets te vaak beschonken – en trots

dat wij waren! Bezorgdheid zetten we op
en af als een badmuts over een kapsel

van strogeel geluk. Toen stapten we uit
de welwillende warmte, riep de rivier.

Laat ons dit bewaren. Als we verslingerd
aan richting en golfslag de wrede grenzen

van tijd en plaats over varen – laat ons
de smaak van die haven bewaren.

Foto van Ed

Hij hangt bij ons al jaren op de gang
te gillen achter glas. Hij waarschuwt
voor een ongezien gevaar. Meewarig

gaan wij 's nachts aan hem voorbij. Zijn mond
staat strak van angst, de neusvleugels
sperren zich panisch verder uit elkaar.

Hij wijst ons zonder handen op wat komen
zal. Wij zien het niet. Een kogel nadert
die hij nimmer klemvast vangen kan.

Wij halen onze schouders op. Een uitgelachen
doelman naast de linnenkast, bang voor de bal.

Nu de granaat ontploft is wil ik dat hij
zwijgt. De dwangbuis van zijn waakzaamheid
moet uit. Hij staart bewegingloos

naar iets buiten zijn lijst; hij blijft
bewaker van de wanhoop in ons huis.

Smeekschrift

Behoedzaam verschalken wij
het geheugen, voorzichtig
stappen we over haar stilte

(het zoemen van koeling,
het ontbreken van adem,
ja, adem, haar adem, ja)

– geschenk: haar kelige lach
gevormd door weldoorbloede
huig en gonzende kaakholtes.

Aandachtig naderen wij haar
in de rug, kordaat gedachten
wegduwend aan haar kilte;

kom, geheugen, doe maar voor
hoe het was toen wij onze hand
op haar arm legden, hoe

onder de koelte van haar huid
de slagaders juichten. Ontsteek
een koorts in haar, voor ons –

Het geheugen niet overvragen.
Blijf op afstand. Laat de blik bijten
in de bolling van haar bovenarm.

Bidden wij dan het geheugen
bij ons te blijven. Het is wat wij
hebben. Zonder haar zijn wij niet.

Verzoek aan de schilder

Mijn arsenaal van klank en taal
bestaat in tijd. Zij niet. Ik vraag

uw hulp. Als ik haar met mijn warme
hand, zo zwaar van bloed, wil raken

is er niets. U heeft een vlak met veertien
kleuren, een penseel van vossenhaar –

streel haar te voorschijn, groene schaduw
bij haar oor en in haar hals een zweem

van oud ivoor. Maak haar een plaats
in vezels van uw doek. Roep mij

dan binnen. U staart uit het raam.
Ik blijf op anderhalve meter staan.

Zij kijkt mij aan.

Sectie

In onze heupen de heupen
van de dochter, in onze ogen
de wildheid van haar blik.

In onze stem gaat haar stem
verscholen, haar handen
zijn door de onze omgroeid.

Wat een taak: het bekken
vrij te prepareren, het oog
uit te nemen. Een vaste hand

hebben we nodig, een helder
brein. Onverschrokken moeten we
de tong lossnijden, op zoek

gaan tussen pezen en vaten
naar de bleke stengels van
haar vingers in onze vingers.

Het is een groots werk, het neemt
al onze uren, het losmaken
van de dochter uit ons.

Aantekeningen

'Afspraak' werd geschreven in opdracht van NRC *Handelsblad*,
'Papierland' voor *De Gids*, bij een foto van André-Pierre Lamoth.
'www.gewicht.com' maakte ik voor het NOS-journaaloverzicht 2000,
'Inversie' voor *Water en Vuur. Gedichten bij beelden deel IV*, n.a.v. een
spiraalobject van Maarten Manson.
'Over visvangst', bij een foto van Alessandra Meniconzi, ontstond in
opdracht van de Novibkalender 2004.
'Alsof' schreef ik voor het symposium Confrontaties, ter gelegenheid
van de opening van het FC Donders Centre for Cognitive
Neuroimagining,
'Klank' voor het tienjarig jubileum van het Muziekcentrum Frits
Philips te Eindhoven.
'Prijs de hoogte' ontstond in opdracht van de muziekinstrumenten-
afdeling van het Gemeentemuseum in Den Haag.
'Voorjaarsbrief' is voor Gerrit Kouwenaar op zijn tachtigste verjaardag,
'Badhuis in Boedapest' voor Rudi Wester, bij haar afscheid als directeur
van het Nederlands Literair Productie- en Vertalingenfonds.
'In het gras', 'Aan de slaap' en 'Foto van Ed' (bij een foto van keeper
Ed de Goey door George Verberne) werden eerder gepubliceerd in
Hard Gras.
'Verzoek aan de schilder' werd geschreven in opdracht van de
ABN-AMRO Kunststichting.

Colofon

De tussentijd van Anna Enquist werd in 2004 in opdracht van Uitgeverij De Arbeiderspers volgens ontwerp van Steven van der Gaauw gezet uit de DTL-Haarlemmer en gedrukt door Drukkerij Giethoorn ten Brink te Meppel op 90 grams romandruk.